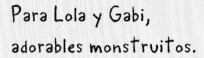

Para Lola y Gabi,
adorables monstruitos.

Isol

    Petit, el monstruo. - 1a ed. - 1a reimp. - Ciudad Autónoma de Buenos Aires :
    Calibroscopio, 2014.
    36 p. : il. ; 20x20 cm.

    ISBN 978-987-1801-71-8

    1. Narrativa Infantil Argentina. I. Título.
    CDD A863.928 2

Petit, el monstruo

© del texto y las ilustraciones: Isol, 2006

© de esta edición: Calibroscopio Ediciones, 2013

Espinosa 1581 (1416) - Buenos Aires - Argentina

Telefax (54 11) 4581-6294

editorial@calibroscopio.com.ar - www.calibroscopio.com.ar

I.S.B.N. 978-987-1801-71-8

Libro de edición argentina.

Esta edición de 5.000 ejemplares se terminó de imprimir en Triñanes Gráfica,
Buenos Aires, Argentina, en noviembre de 2014.

Calibroscopio

PETIT, EL MONSTRUO

Texto y dibujos de Isol

Calibroscopio

¿Conoces a Petit?

Petit es un chico bueno
que juega con su perro.

Petit es un chico malo

que tira del pelo a las chicas.

Petit puede ser muy bueno
con el abuelo Paco

Su mamá le pregunta:
—¿Cómo puede ser
que un chico tan bueno
a veces haga cosas tan malas?

Petit no sabe
qué contestar.

¡Y es que es difícil verlo claro!

Porque Petit es malo cuando cuenta mentiras

y bueno inventando cuentos.

Malo en Matemáticas.

Bueno en Lengua.

Petit cuida mucho sus juguetes,

y eso es bueno.

¿Bueno para nada?
¿Malo para todo?

Petit quiere un poco
de tranquilidad.

Y un manual de instrucciones
que le aclare sus dudas.

¿Por qué si es malo tirar del pelo

¿Por qué cuanto más se esfuerza Petit
por ser un niño bueno ...

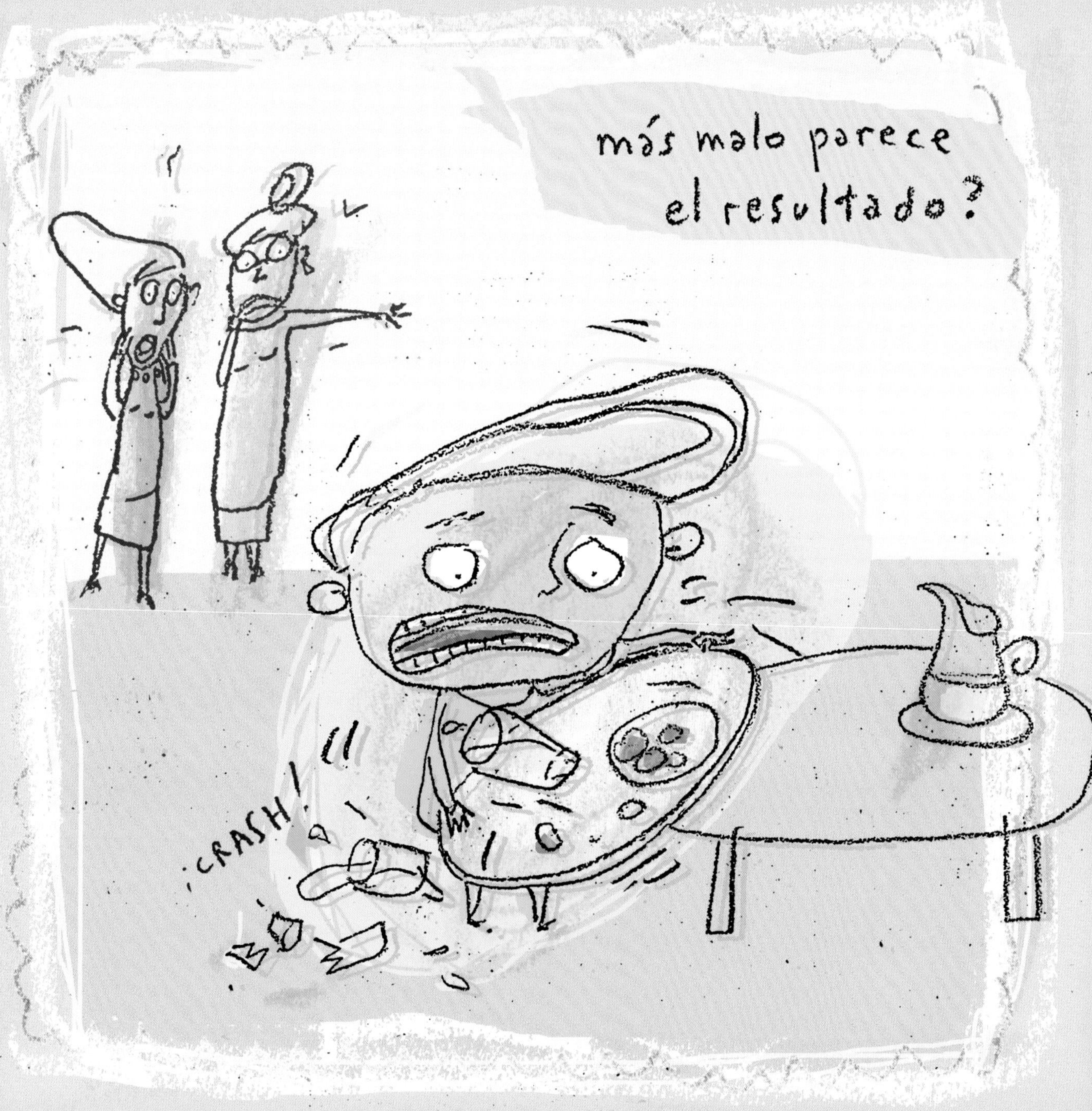
más malo parece
el resultado?
¡CRASH!

—¿Seré alguna clase de monstruo inclasificable?
—se pregunta Petit.

En todo caso, su perro Tadeo no parece

tener problema con eso.

Petit le dice a su madre:
— Debo ser una especie de
niño bueno-malo, tal vez.
¡No hay otra explicación!

—Mmm, entiendo...

—dice su mamá.

Mamá es buena porque entiende

y mala por dejarme sin postre.

¿Será que viene de familia?

Fin